# Wierszyki
# 3-latka

SBM
WYDAWNICTWO

# Spis treści

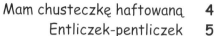

Mam chusteczkę haftowaną    4
Entliczek-pentliczek    5
Mało nas    6
Panie Janie    7
Jedzie, jedzie pan    8
Praczki    9
Ene due rabe    10
Wlazł kotek na płotek    11
Poszło dziewczę po ziele    12
Na wysokiej górze    13
Leciała osa    14
Idzie myszka do braciszka    15
Mamusiu kochana    16
Siała baba mak    17
Baloniku mój malutki    18
Ojciec Wirgiliusz    19
A-a, kotki dwa...    20
Kominiarz    21
Czerwone jabłuszko upadło pod łóżko    22
Pałka zapałka — dwa kije    23
Ślimak    24
Stoi różyczka    25
Pan Sobieski miał trzy pieski    26
Mała biedroneczka    27
Idzie pani — tup, tup, tup    28
Policzymy, co się ma    29

**Maria Konopnicka**

Tęcza    30
Jabłonka    31
Powitanie wiosenki    32

**Stanisław Jachowicz**

Zgoda    33

**Dorota Strzemińska-Więckowiak**

| | |
|---|---|
| Kogut pieje | 34 |
| Wianek | 35 |
| Miotła | 36 |
| Kura | 37 |
| Nietoperz | 38 |
| Lew | 39 |
| Mrówka | 40 |
| Mądra sowa | 41 |
| Pan łoś | 42 |
| Kurka | 43 |
| Kalosze | 44 |
| Słońce i księżyc | 45 |
| Szare myszki | 46 |
| Dom ślimaka | 47 |
| Jesień | 48 |
| Dwa zające | 49 |
| Słoń | 50 |
| Rak | 51 |
| Wiewiórka | 52 |
| Mała żabka | 53 |
| Śpiący miś | 54 |
| Żyrafa | 55 |
| Zaprzęg reniferów | 56 |
| Mały jeż | 57 |
| Wąż | 58 |
| Śniadanie | 59 |
| Pająk | 60 |
| Bajkowe sny | 61 |
| Motylek | 62 |
| Stonoga | 63 |

# Mam chusteczkę haftowaną

Mam chusteczkę haftowaną, wszystkie cztery rogi,
kogo kocham, kogo lubię, rzucę mu pod nogi.
Tej nie kocham, tej nie lubię, tej nie pocałuję,
a chusteczkę haftowaną tobie podaruję.

# Entliczek-pentliczek

Entliczek-pentliczek, czerwony stoliczek,
na kogo wypadnie, na tego bęc.

# Mało nas

Mało nas, mało nas
Do pieczenia chleba,
Tylko nam, tylko nam
Ciebie tu potrzeba!

Dużo nas, dużo nas
Do pieczenia chleba,
Więc już nam, więc już nam
Ciebie tu nie trzeba!

# Panie Janie

Panie Janie! Panie Janie!
Rano wstań! Rano wstań!
Wszystkie dzwony biją,
Wszystkie dzwony biją.
Bim, bam, bom,
      bim, bam, bom.

# Jedzie, jedzie pan

Jedzie, jedzie pan, pan
Na koniku sam, sam
A za panem chłop, chłop
Na koniku hop, hop!
Kamienie, kamienie — dół!

Jedzie, jedzie pan, pan
Jedzie — jedzie sam, sam
Jedzie — jedzie, piasek, piasek
Jedzie — jedzie, kamienie, kamienie
Jedzie — jedzie, a tu dziura!

# Praczki

Tu lewą mam rączkę, a tu prawą mam,
jak praczki pracują, pokażę ja wam:
Tak piorą, tak piorą
przez cały boży dzień.
Wieszają, wieszają
przez cały boży dzień.
Maglują, maglują
przez cały boży dzień.
Prasują, prasują
przez cały boży dzień.

# Ene due rabe

Ene, due, rabe,
połknął bocian żabę,
a żaba bociana,
cóż to za zamiana?

# Wlazł kotek na płotek

Wlazł kotek na płotek
i mruga.
Piękna to piosenka,
niedługa.
Niedługa, niekrótka,
lecz w sam raz,
a ty mi, Halusiu,
buzi dasz!

(opracowała: Zofia Rogoszówna)

# Poszło dziewczę po ziele

Poszło dziewczę po ziele,
Po ziele, po ziele,
nazbierało niewiele,
niewiele, bęc.
Przyszedł do niej braciszek,
połamał jej koszyczek.
Oj ty ty, oj ty ty, za koszyczek zapłać mi.
Oj ty ty, oj ty ty, za koszyczek zapłać mi.

# Na wysokiej górze

Na wysokiej górze
rosło drzewo duże,
nazywało się:
apli papli biten blau.
Kto tego nie powtórzy,
ten smacznie będzie spał!

# Leciała osa

Leciała osa
do psiego nosa,
pies śpi.

Leciała mucha
do psiego ucha,
pies śpi.

Leciała sroka
do psiego oka,
pies śpi.

Leciała wrona
do psiego ogona,
pies śpi.

Przeleciał kruk,
Dziobem w bok stuk,
Pies „wau!".

(opracowała: Zofia Rogoszówna)

# Idzie myszka do braciszka

Idzie myszka do braciszka.
Tu wskoczyła, tu się skryła.

# Mamusiu kochana

Mamusiu kochana,
Weź mnie na kolana,
Powiem ci do uszka,
Że cię kocham z całego serduszka!

# Siała baba mak

Siała baba mak,
nie wiedziała jak,
dziadek wiedział, nie powiedział,
a to było tak...
Siała baba mak,
nie wiedziała jak,
dziadek wiedział, nie powiedział,
a to było tak...

# Baloniku mój malutki

Baloniku mój malutki,
rośnij duży, okrąglutki.
Balon rośnie, że aż strach,
Przebrał miarę — no i trach!

# Ojciec Wirgiliusz

Ojciec Wirgiliusz
uczył dzieci swoje,
a miał ich wszystkich
sto dwadzieścia troje.
Hejże, dzieci, hejże ha:
róbcie wszyscy to, co ja.
Hejże, dzieci, hejże ha:
róbcie wszyscy to, co ja.

# A-a, kotki dwa...

A-a, kotki dwa, szare bure obydwa,
jeden duży, drugi mały, oba mi się spodobały.

A-a, kotki dwa, szare bure obydwa,
nic nie będą robiły, tylko Zbysia bawiły.

A-a, kotki dwa, szare bure obydwa,
jeden pobiegł do lasu, narobił tam hałasu.
Drugi biegał po dachu, zgubił butki ze strachu.

A-a, kotki dwa, szare bure obydwa,
chodzą sobie po sieni, miauczą głośno — „pieczeni!".

A-a, kotki dwa, szare bure obydwa,
biega szary, biega bury, aż obydwa czmych do dziury.

(opracowała: Zofia Rogoszówna)

# Kominiarz

Idzie kominiarz
po drabinie...
Fiku, miku
już jest
w kominie.

# Czerwone jabłuszko upadło pod łóżko

Czerwone jabłuszko
Upadło pod łóżko.
Spodobało mi się
Jasiowe serduszko.

# Pałka zapałka — dwa kije

Pałka, zapałka — dwa kije,
Kto się nie schowa, ten kryje!
Szukam, pukam i rachuję,
Kogo znajdę, zaklepuję. Bęc.

# Ślimak

Ślimak, ślimak, wystaw rogi,
dam ci sera na pierogi,
jak nie sera, to kapusty
— od kapusty będziesz tłusty.

# Stoi różyczka

Stoi różyczka
w czerwonym wieńcu,
my się kłaniamy
jako książęciu.
Ty, różyczko, dobrze wiesz,
dobrze wiesz, dobrze wiesz,
kogo kochasz, tego bierz,
tego bierz.

# Pan Sobieski
# miał trzy pieski

Pan Sobieski miał trzy pieski,
czerwony, zielony, niebieski.
Raz, dwa, trzy,
po te pieski idziesz ty.

# Mała biedroneczka

Mała biedroneczka pięć kropeczek miała:
Pierwszą od deszczu dostała,
Drugą od wiatru silnego,
Trzecią od słonka złotego,
Czwartą od dziadka, co przechodził drogą,
A piątą — sam nie wiem, od kogo.

# Idzie pani
# — tup, tup, tup

Idzie pani — tup, tup, tup,
dziadek z laską — stuk, stuk, stuk,
skacze dziecko — hop, hop, hop,
żaba robi dłuuugi skok!
Wieje wietrzyk — fiu, fiu, fiu,
kropi deszczyk — puk, puk, puk,
deszcz ze śniegiem — chlup, chlup, chlup,
a grad w szyby — łup, łup, łup!
Świeci słonko, wieje wietrzyk,
pada deszczyk...
czujesz dreszczyk?

# Policzymy, co się ma

Policzymy, co się ma:
mam dwie ręce, łokcie dwa,
dwa kolanka, nogi dwie
— wszystko pięknie zgadza się.
Dwoje uszu, oczka dwa,
no i buzię też się ma.
A ponieważ buzia je,
chciałbym buzie też mieć dwie!

# Tęcza

Maria Konopnicka

— A kto ciebie, śliczna tęczo,
Siedmiobarwny pasie,
Wymalował na tej chmurce
Jakby na atłasie?

— Słoneczko mnie malowało
Po deszczu, po burzy;
Pożyczyło sobie farby
Od tej polnej róży.

Pożyczyło sobie farby
Od kwiatów z ogroda;
Malowało tęczę na znak,
Że będzie pogoda!

# Jabłonka

Maria Konopnicka

Jabłoneczka biała
Kwieciem się odziała;
Obiecuje nam jabłuszka,
Jak je będzie miała.

Mój wietrzyku miły,
Nie wiej z całej siły,
Nie otrącaj tego kwiecia,
Żeby jabłka były.

# Powitanie wiosenki

Maria Konopnicka

Leci pliszka
Spod kamyszka:
— Jak się macie, dzieci!
Już przybyła
Wiosna miła,
Już słoneczko świeci!
Poszły rzeki
W kraj daleki,
Płyną het — do morza:
A ja śpiewam,
A ja lecę.
Gdzie ta ranna zorza!

# Zgoda

Stanisław Jachowicz

— Kochany koteczku! Godzien jesteś burki,
Że mnie zadrapałeś ostrymi pazurki.
To bardzo niepięknie kaleczyć drugiego:
Popraw się, koteczku, nie rób więcej tego!
Na to kotek odpowie: — Ułóżmy się z sobą —
Obchodź się ze mną grzecznie, to ja będę z tobą.

# Kogut pieje

Dorota Strzemińska-Więckowiak

Kogut pieje: „Kukuryku!"
Co dzień rano w swym kurniku.
Tak nie tylko kurki budzi,
Ale również wielu ludzi.

# Wianek

Dorota Strzemińska-Więckowiak

Z jakich kwiatów uwić wianek?
Weź stokrotki i rumianek.
Drobne płatki, żółte brzuszki,
Mają oba te kwiatuszki.

# Miotła

Dorota Strzemińska-Więckowiak

Szybko cały dom posprząta,
Zmiecie kurz z każdego kąta.
Bo to miotła jest domowa —
O niej właśnie, dzieci, mowa.

# Kura

Dorota Strzemińska-Więckowiak

Kura jajko zniesie wszędzie,
Choć najlepiej jej na grzędzie.
I najchętniej do kurnika,
Każda kurka zawsze zmyka.

# Nietoperz

Dorota Strzemińska-Więckowiak

Czy to ptak jest, czy to smok?
Wstaje, gdy zapada zmrok.
To nietoperz — gacek mały,
Lotnik z niego jest wspaniały!

# Lew

Dorota Strzemińska-Więckowiak

Lew, król zwierząt, głośno ryczy,
Kiedy śpiewa, kiedy krzyczy.
A gdy lew jest bardzo zły,
Wówczas szczerzy swoje kły.

# Mrówka

Dorota Strzemińska-Więckowiak

Czy znasz może to stworzenie?
Pracowite jest szalenie!
Całe czarne — nawet główka.
Toż to przecież mała mrówka!

# Mądra sowa

Dorota Strzemińska-Więckowiak

W dziupli mieszka mądra sowa,
Najmądrzejsza ptasia głowa.
Echo jej hukanie niesie
Po spowitym we śnie lesie.

# Pan łoś

Dorota Strzemińska-Więckowiak

Widział może kiedyś ktoś,
Jak wspaniały jest pan łoś?
Jak ogromne ma poroże?
Nim napędzić strachu może.

# Kurka

Dorota Strzemińska-Więckowiak

Czasem kwoka — czyli kurka,
Groźnie stroszy swoje piórka.
Nie chce wszczynać żadnej draki —
Tylko chroni swe pisklaki.

# Kalosze

Dorota Strzemińska-Więckowiak

Gdy deszcz pada, gdy kałuże
Są na dworze bardzo duże,
By nie zmoknąć, zawsze noszę
I parasol, i kalosze.

# Słońce i księżyc

Dorota Strzemińska-Więckowiak

Gwiazdy gasną, słońce wstaje,
Dzień kolejny tak nastaje.
Kiedy księżyc znów zaświeci,
Pójdą spać wnet wszystkie dzieci.

# Szare myszki

Dorota Strzemińska-Więckowiak

Szare myszki, ze swej norki,
Weszły prosto w zboża worki.
A że puste brzuszki miały,
Zjadły zboża zapas cały.

# Dom ślimaka

Dorota Strzemińska-Więckowiak

Pełznie ślimak poprzez drogi,
Chowa i wystawia rogi.
O schronienie się nie prosi,
Bowiem dom na grzbiecie nosi.

# Jesień

Dorota Strzemińska-Więckowiak

Kolor złota i czerwieni
Drzewa mają na jesieni.
Choć jesienne dni są dżdżyste,
Barwy liści są ogniste.

# Dwa zające

Dorota Strzemińska-Więckowiak

Skaczą szybko dwa zające
Po kwiecistej, wielkiej łące.
Lecz nietęgie mają miny —
Nie ma bowiem koniczyny.

# Słoń

**Dorota Strzemińska-Więckowiak**

Słoń w upale, do wytchnienia,
Szuka choć kawałka cienia.
Chłodzi się też... czym? Uszami!
Tak jak dwoma wachlarzami.

# Rak

Dorota Strzemińska-Więckowiak

Brzegiem rzeki idzie rak,
Lecz niezwykle, bowiem wspak.
Taki mały, a szczypcami,
Raczek łapie jak kleszczami.

# Wiewiórka

Dorota Strzemińska-Więckowiak

Wiewióreczka je orzechy,
Dużo przy tym ma uciechy.
Ząbki swe w skorupki wbija,
Na dwie części je rozbija.

# Mała żabka

Dorota Strzemińska-Więckowiak

Mała żabka kumka w trawie,
Nagle „plum" i jest już w stawie.
Dała nura wprost do wody,
Aby zaznać w niej ochłody.

# Śpiący miś

Dorota Strzemińska-Więckowiak

Niedźwiedź cicho pomrukuje,
Bowiem do snu się szykuje.
Gdy śnieg pierwszy z nieba spadnie,
Miś w zimowy sen zapadnie.

# Żyrafa

Dorota Strzemińska-Więckowiak

By buziaka dać żyrafie,
Musisz stanąć aż na szafie
Lub się na drabinę wdrapać,
By żyrafy szyję złapać.

# Zaprzęg reniferów

Dorota Strzemińska-Więckowiak

Ciągnie sanie z prezentami,
Oprószone śnieżynkami,
Reniferów wielka zgraja
Od Świętego Mikołaja.

# Mały jeż

Dorota Strzemińska-Więckowiak

Kto najeża się kolcami,
Kłuje nimi jak igłami?
Cóż to znowu jest za zwierz?
Toż to przecież mały jeż!

# Wąż

Dorota Strzemińska-Więckowiak

Długi na dwa metry wąż,
Skręca się i wije wciąż.
A wygina się tak śmiało,
Bo ma bardzo giętkie ciało!

# Śniadanie

Dorota Strzemińska-Więckowiak

Choć brak czasem chęci na nie,
Zawsze z rana zjedz śniadanie.
Bo posiłek ciepły, pierwszy,
W całym dniu jest najważniejszy.

# Pająk

Dorota Strzemińska-Więckowiak

Nie ma nitki ni igiełki,
A swe sieci, niczym mgiełki,
Do łapania muszek przecie,
Pająk w mgnieniu oka plecie.

# Bajkowe sny

Dorota Strzemińska-Więckowiak

Skrzaty, elfy oraz wróżki
Weszły cicho pod poduszki.
A że czary różne znają,
Sny bajkowe dzieciom dają.

# Motylek

Dorota Strzemińska-Więckowiak

Delikatne, niczym mgiełka,
U motyla są skrzydełka.
Na nich mienią się kolory,
Ułożone w różne wzory.

# Stonoga

Dorota Strzemińska-Więckowiak

Wiecie może, dzieci, kto,
Ma w przyrodzie nóg aż sto?
U stonogi mianowicie,
Nóżek tyle naliczycie!

Wydanie I

Teksty wierszyków:
Dorota Strzemińska-Więckowiak (strony 34–63)
Maria Konopnicka (strony 30–32)
Stanisław Jachowicz (strona 33)

Ilustracje i projekt okładki: Mariola Budek
Skład i przygotowanie do druku: Marcin Korolkiewicz

Korekta: Natalia Kawałko, Elżbieta Wójcik

Wydrukowano w Polsce

Wydawnictwo SBM Sp. z o.o.
ul. Sułkowskiego 2/2
01-602 Warszawa
www.wydawnictwo-sbm.pl